KB088005

또 기다림의 밤

똑 닮은 딸

1

글·그림
이담

학산문화사

Like Mother,
Like Daughter

KB088006

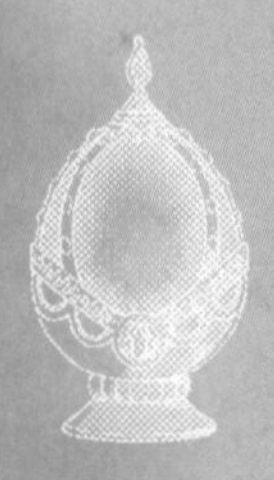

마법소녀 마도카☆마기카 신장완전판

그림 하노카게

원작 Magica Quartet

[목차]

오
오
오오오
그녀 혼자 감당하기에는 너무 무거운 짐이야.
제1화
꿈 속에서 만난 것 같은….
이럴 수가….
쿠
오오
너무해.
이건 너무 하다고…!

하지만
너라면 운명을
바꿀 수 있지.
포기하면
그걸로
끝이야.

피할 수
없는
멸망도.
탄식도.
전부 네가
뒤집으면 돼.

그만한 힘을
너는 갖추고
있으니까.

그게…
정말이야…?
!
물론이지.
그러니,
싱
긋
나와
계약해서,
마법소녀가
되어줘!

삐빅…
삐비빅…
빡
딸깍
하으으…
…꿈인가?

—요즘은 어떠니?
히토미가 또 러브레터를 받았어.
이번 달 들어 두 번째.
치카 치카 치카 치카
직접 고백할 근성도 없는 남자는 안 돼.
카즈코는 어때?
선생님은 아침 조회 시간에 애인 자랑.
이번 주로 3개월이니 기록 경신이야.
파 바 바
바 밧
가장 위험할 때네?

RED
리본 어느 걸로 할까?
YELLOW
에~
너무 화려하지 않아?
여자는 외모에서 얕잡아 보이면 끝이야.
분명 마도카의 숨은 팬도 푹 빠질걸?
RED
이쪽.
없어~. 그런 사람.
있다고 생각해야지. 그게 미인의 비결이란다♪
남기지 말고 먹으렴~
아부
우물 우물

커피 더 줄까?
음… 괜찮아.
와——아
좋아… 그럼 갔다올게!
처억
잘 다녀와~!
마도카도 슬슬 가야지.
허둥 지둥
어? 으… 응!
다녀오겠습니다~!
바삭

미안, 사야카! 히토미!
오, 드디어 왔네.
늦었잖아, 마도카!
마도카, 좋은 아침이에요.
어라? 리본 바꿨네?
너무 화려한가?
잘 어울려요.
오호라? 이미지 체인지로 히토미처럼 인기를 끌고 싶었구나? 이 녀석!
아, 아니야!
이런 엉큼한 녀석은 내가 아내로 데려가주마!
뭐어?!
와—락☆
크흠

디-잉
도-옹
데-엥
도-옹
오늘은 여러분에게 중요한 공지가 있습니다.
계란 프라이는 …,
완숙 인가요?
아니면 반숙 인가요?
자, 나카자와!
턱
네에?
어느 쪽이든 상관없지 않나요…?
맞아요! 어느 쪽이든 상관없죠!
탕
아아
Soft boiled or Hard baked
여학생 여러분은! 계란이 완숙이냐 반숙이냐를 가지고 따지는 남자와는 사귀지 말 것!!
그리고 남학생은! 앞으로 그런 어른이 되지 않을 것!!!
하아
이번 상대도 틀렸나 보네….
그러게….

…참!
그리고
전학생을
소개하겠어요.
활짝
그게 더
중요한 것
아닌가?!
아케미,
들어와요.
네.
뚜벅…
…어?

아케미 호무라입니다.
잘 부탁드려요.
우와, 엄청난 미인이네.
오오~ 예쁘다~
…….
저 애는…,
꿈에 나온…?!
짝짝
짝짝
짝짝
짝짝
아케미 호무라
사이좋게 지내도록 하세요—.
빤…
?!

저기…
저 애가 이쪽을 뚫어져라 쳐다보지 않았어?
짝 짝
그… 그런가?!
짝 짝…
어?!
속닥…

저기, 아케미.
에이, 설마….
전에는 어디 학교 다녔어?
머릿결 되게 곱다~.

시끌
시끌

…미안해.

좀 긴장한 탓인지 몸이 안 좋아서….
보건실에 다녀와도 될까?

덜컹
괜찮아? 내가 안내해줄게!
아니, 당번에게 부탁할게.
카나메.
...어?!
네가 보건위원이지?
보건실까지 안내해줄 수 있을까?
와아
멋지다...
으으...
저벅
저벅

저… 저기, 내가 보건담당이라는 걸 어떻게 알았어?
사오토메 선생님께 들었어.
어… 응? 그렇긴 한데….
아… 그렇구나.
보건실은….
이쪽이지?
휙…
…….
아… 아케미…?
호무라라고 불러도 돼.

호무라…?
그거… 특이한… 아니,
멋진 이름이네!
빙글…
카나메 마도카.

너는 자신의 인생을 귀중하게 여기고 있니?
가족과 친구를,
소중히 여기고 있어?

…응? …나… 나는….
소중… 해.
가족도, 친구들도.
정말 좋아해서 무척 소중한 사람들이야.

그래.
만약 그게 사실이라면,
지금과 다른 자신이 되겠다는 생각은 하지 마.
그렇지 않으면,

모든 걸 잃을 테니까.

끼익…
너는 지금처럼 카나메 마도카로 지내면 돼.
여태까지 그래왔던 것처럼 계속.
저벅…

와하하하하하
아하하하 하하하, 잠깐… 마도카!
그게 정말 이야?!

말하지 말 걸 그랬어….
하 아아~…
웃음이 지나쳐요, 사야카.
하하하하…
이야~ 미안, 미안….

마도카 앞에 나타난 문무양도 재색겸비, 미스테리어스 전학생!
하지만 그 정체는 사실 사이코 4차원녀…?!
반짝..
게다가 마도카와는 꿈에서 만난 사이라고…?!
불끈…

파아아아앗
너무해.
난 진지하게
고민하고
있는데….
너희는
시공을 초월해
다시 만난 운명의
두 사람이었던
거라고~!
이건 완전
그거잖아!
전생의 인연.

오늘도
교양 수업
있어?
…어머,
시간이 벌써
이렇게
됐네.
먼저
실례할게요.

포옹…
마도카,
CD 사러
잠깐 가게 좀
들러도 될까?
응.
또 카미죠
주려고?
…….

피아노에다
일본무용,
다도였던가?
난 소시민으로
태어나
다행이야….
과연 아가씨

타타
탓…
탓 탓
탓
헉 헉
헉…
윽……
스…
도와줘….

키이…잉!
도와줘, 마도카!!
!

뭐… 뭐지?
어…?
위이…잉
제발 도와줘….
누구야…?
?
마도카?

CLOSE
내부 수리 안내

끼익…

도와줘….
푸뻐…
푸뻐…
넌…
누구야?
어디
있어?
털썩
움찔
추욱…
!

네…
네가 불렀니?!
하아… 하아…
하아…

많이 다쳤네.
어떻게 된 거야?!
어라…? 이 아이는,
마도카….
어디선가….
그 녀석에게서 물러나.
헉

어…
호무라?!

그 녀석을 이리로 넘겨.

도와줘…!
…!

호무라가 이 아이를…?
이런 짓은 하면 안 돼….

너와는 상관없는 일이야.

부탁이야,
심한 짓 하지
말아줘….
들렸어.
이 아이가,
턱…
날
부르는 걸…!
마도카
!!
촤아아
아아
!

타앗
사야카?!
마도카, 이쪽이야!
……큭!
화아악
부웅…
헉
반짝…
스스스…
…이런 때에.

뭐…,
뭐야,
저 녀석?!
탁
코스프레 차림으로 사람을 습격하다니!!
그냥 4차원 수준이 아니잖아!!
탁
탁
탁
탁
그보다… 그건 뭐야? 인형?
큐우
….
살아 있네?!
탁
어… 어라? 비상구는… 여긴 어디야?!
이상해… 여기!
점점 길이 변하고 있어!
주춤…
무슨 일인지 잘 모르겠지만, 도와줘야 해!

!
앗….
뭔가 있어!
후후후…
키득…
뭐야, 저것들은…!
농담하는 거지?!

찰캉…
찰캉…
우리가 지금,
악몽이라도 꾸는 거야?!
응? 마도카!
……!

팔랑…

하늘
하늘…
퐁
?

촤자자작
?!
후우우웅

너희,
위험할 뻔했구나.
타악
하지만 이제 괜찮아!
포옹…
당신은…?
천천히 자기소개를 하고 싶지만….
키리릭
그전에!
파
아앙

슥
둥시일
일단
상황을…,

휘리릭…

정리해도
될까?

!!!
티로 발리!
콩
두두두두두
대…
대단해 …!
쿠오…

둥실…

돌아왔어….
끝났나?
후…
척
저기
감사합니다.
큐베를
구해줘서
고마워.
그 아이는
내 친구거든.

저기…
저는
이 아이의
목소리가
들려서….
저벅…

마녀는
달아났어.
처리하고
싶으면 바로
따라가는 게
좋을 거야.
…내가
볼일이
있는 건….
호무라….
말귀를
알아듣지
못하네.
그냥
넘어가주겠다는
뜻이야.
저벅
저벅
…….

포오옹…

고마워, 마미. 덕분에 살았어.
감사 인사는 저 애들에게 해.
난 지나가다 우연히 끼어들었을 뿐이니까.

고마워, 카나메 마도카. 미키 사야카.
어?!
어떻게 우리 이름을?

내 이름은 큐베.
실은 너희에게 부탁이 있어서 찾아왔어.

부탁?
그래.
마도카.
사야카.

나랑
계약해서,
…!

싱
긋
마법소녀가
되어줬으면 해.

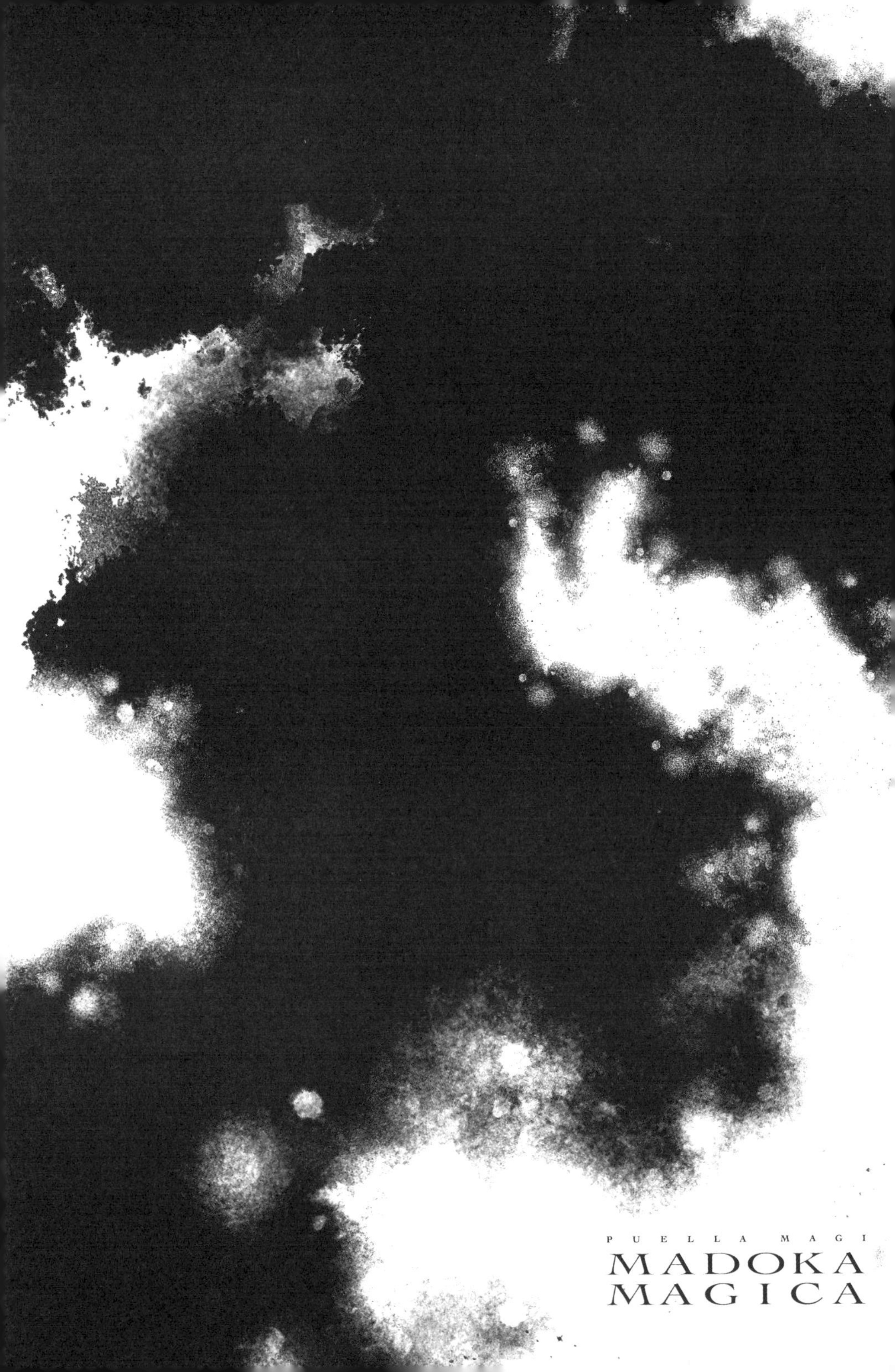
PUELLA MAGI
MADOKA
MAGICA

고마워! 덕분에 살았어, 마미!
인사부터 해야겠지? 난 토모에 마미.
너희와 같은 미타키하라 중학교 3학년.
—그리고.
큐베와 계약한 마법소녀야.
삐빅
제 2 화
그건 무척 기쁜 일일 거야

삐빅…
삐비비빅…。
빽
딸깍
어라?
또 꿈인가?

싱긋
좋은 아침, 마도카!
와앗?!
벌떡
스윽…
…참, 마도카.

응.
미안해,
엄마.

어제 좀 늦게
들어왔지?
아,
선배가 집에
초대해서.
통금 시간
같은 건 없지만
적어도
저녁 식사 전에
연락은 하렴.

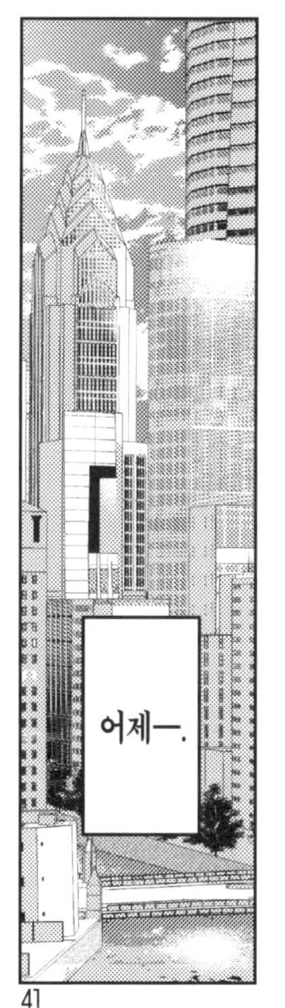
어제—.

따끈
따끈
후우~…
정말 다른
사람에겐
안 보이는구나….
…저기,
엄마.
응?
만약에…
있잖아,
마법으로
어떤 소원이라도
이룰 수 있다면,
엄마는
어떻게
할 거야?

난 혼자 사니까 편하게 들어와.
철컥
우와!
멋지다….
포로록
제대로 대접할 만한 건 없지만….
마미 선배, 엄청 맛있어요!
후후
고마워.
큐베의 선택을 받은 이상 남 일이라고 할 수 없으니까.
슥…
마법소녀에 대해 설명해줄게.

후우웅
마도카, 사야카,
이걸 봐줄래?
포옹…
예쁘다 ….
이건 소울 젬.
마법소녀가 지닌 마력의 근원이야.
큐베에게 선택받은 여자아이가 계약을 통해 만들어내는 보석이지.
그래. 나와의 계약으로 소울 젬을 손에 넣은 자는,
'마녀'와 싸운다는 사명을 부여받게 돼.
…하지만 그 대신,
어떤 소원이든 딱 한 가지를 내가 들어줄 수 있어!
!

어떠한 소원이라도…?! 금은보화나 불로불사… 아니면 그런 것도?!
그런 거라니?
응.
아… 근데 그 싸워야 하는 '마녀'라는 건 뭐야?

마미 같은 '마법소녀'가 희망을 퍼뜨리는 존재라면,
'마녀'는 반대로 절망을 퍼뜨리는 존재야.
마법소녀
마녀와 그 사역마
세간에서 자주 일어나는 원인불명의 자살이나 살인사건은 높은 확률로 마녀의 저주가 원인이지.

마녀는 너희도 말려들었던 그런 '결계' 안에 숨어 있어.
내가 도와주지 않았다면… 아마 거기서 살아 돌아오지 못했겠지.

……….
오싹…
그, 그렇게 무서운 존재와 싸우고 있군요….
응, 목숨을 걸고.
후웅…
그러니 너희도 계약을 할지 말지는 신중하게 판단하는 게 좋아.
으—음, 솔깃한 얘기이기는 한데….
아… 맞아, 그 전학생도 마법소녀인가?
응, 틀림없어.
마미 선배 말고도 마법소녀가 있나요?
상당히 강력한 마력을 지닌 것 같아.

근데 마법소녀는 마녀를 물리치는 정의의 편이잖아요?
근데 왜 마도카를 습격한 걸까요?
그녀의 목표는 나야.
새로운 마법소녀가 태어나는 것을 막으려 했던 거겠지.
??
마녀를 쓰러뜨리면 상당한 보상을 얻을 수 있거든.
이를 두고 충돌하는 경우도 많아.
마법소녀가 반드시 다 같은 편이라는 법은 없어.
…그럼 큐베의 목소리가 들리는 마도카를 표적으로 삼고,
자신에게 방해가 될 적이 늘어나는 걸 막으려 접근한 건가….
아마도 그럴 거야.

으~~음…
괜히 걱정하게 만들었나?
—그럼 너희 둘도,
한동안 나랑 같이 마녀퇴치 해보지 않을래?
마법소녀가 어떤 존재인지,
직접 눈으로 보고 확인해보면 좋을 거야!
…네에?!

좋은 아침! 사야카, 히토미!
오~! 좋은 아….
?!
큐우우우―웅♥
그 녀석이 왜 있어?!
?
괜찮아. 우리 외에는 안 보이는 것 같아.
그리고 목소리를 내지 않고도 대화를 할 수 있대.
텔레파시?!
…
쿠―웅

두 분 다…
갑자기
왜 눈짓으로
대화하는 거죠?
아…
히토미…!
아니,
지금은 내가
중계하고
있을 뿐이야.
오오오
우리에게…
벌써 그런
매지컬한
힘이….
……
……헉!!
화아악~
안 된답니다!
그건…
금단의
사랑이에요…!
설마…
말없이
서로 눈만
마주쳐도
대화가 통하는
사이가
된 건가요…?
어젯밤
사이에
급진전이?!
에이,
그건
아니…,
잠깐!
오늘의
히토미는
뭔가 사야카
같네.
그게 무슨
뜻이야!
타악…!

전학생도
우리 반이야.
목숨을
노리고
있다며?
그건
그렇고….
너…
따라와도
괜찮겠어?
걱정 마.
이야기는
듣고 있어.
!!
마미 선배는
3학년이라
반이 다른데?
마미도
있으니
학교가
더 안전할
거야.

좋은
아침이에요!
……
와앗,
마미 선배?!

잘 지켜보고
있으니까
안심해도
돼.
그리고
그 아이 역시
사람들 앞에서
습격을 가하지는
않겠지.

그렇다면
좋겠지만….

헉…
호랑이도
제 말하면
온다더니….
터벅
터벅
패릿….

!
꼬옥….
무시해,
마도카.
응….

근데 마도카.
어떤 소원을 빌지 생각해봤어?
아니…. 사야카는?

나도 전혀 생각이 안 나.
원하는 것도 많고 하고 싶은 일도 잔뜩 있지만.
아무래도 목숨을 걸어서까지 이루고 싶은 건 아니야.
의외네. 대부분은 흔쾌히 받아들이던데.
아마 우리가 바보라서 그런 걸 거야.
그… 그런 걸까?
그래, 행복한 바보.

…왜,
우리일까…?
목숨과 바꿔서라도 이루고 싶은 소원이 있는 사람은,
이 세상에 분명 잔뜩 있을 텐데.

어쩐지 불공평하다는 생각이 들어….
…….
사야카…?
타악

너는…!
호무라…!
무슨 일이야?
어제 하던 걸
계속하려고?
그럴
생각은
없어.
이미
늦기도
했고.
마도카,
어제 내가 한 말
기억해?
어…?
응….
그래…,
앞으로도
잊지 마.
그 녀석의
사탕발림에
넘어가
후회하는 일이
없도록.

내 충고가 헛수고가 되지 않기를 빌게.
아….

잠깐만, 호무라!

호무라는 그….
어떤 소원을 빌고 마법소녀가 됐어?

…….

뭐야? 저 녀석….
…….

디-잉 도-옹
데-엥
히토미.
도-옹
오늘은 우리가 좀 볼일이 있어서….
먼저 갈게.
미안해, 히토미.
반짝
어머나… 비밀이라 이거군요?
부럽네요.
반짝
이제는 둘 사이에 끼어들 여지가 없겠어요…!
아니, 그건 오해라니까 그러네.

…미안해, 오늘도 좀 급한 일이 있어서.
아…
아케미.
오늘은 꼭 돌아가는 길에 같이 카페 가자.

—자.
그럼 마법소녀 체험 코스.
제1탄을 시작해볼까요?
타악
준비는 됐니?
체육관 창고에서 빌려 왔어요!
짜~안!
어머…, 그 정도 각오라면 도움이 되겠네.
준비가 될지는 모르겠지만…!
뒤적…
마도카는 뭔가 준비해 왔니?
깜
짝
네?!

파자ー안
그,
그게,
저는….
뒤적
뒤적。。
아마도
활?
이… 일단
의상이라도
생각해볼까
해서….

오오…..

후훗

이거
걸작이네~!
마도카 앞에서는
한 수
접어야겠어~!
아하하
…!!
마미
선배까지!
화아악~~
의욕면에서는
충분하네.
후후

CLOSE
내부 수리 안내
ー봐.
이
소울 젬.

빛나는 게
보이니?
네.
어제 여기 있던
마녀의 마력에
반응하는 거야.

기본적으로
이 반응을
바탕으로 마녀를
추적하지.
포옹…
와아…
생각보다
단순…
하네요.

마녀의 저주로
일어나는 일은
교통사고나
상해사건…
자살 등이 많아.
그러니까
그런 사건들이
일어나기
쉬운 곳을
우선적으로
확인해.

병원에
마녀가
자리잡으면
최악이야.
안 그래도
허약한
사람들이,
생명 에너지를
흡수당해서
끔찍한 참상이
벌어져.
병원….

소울 젬이
반응하고
있어….
풍옹…
파앗
가까워!
어?!

폐건물…
반응이
강해.
마미
선배!
옥상에
누가…!
…앗!

탓
어…?
설마
저 사람….
!!
휘이
이잉
후우웅
파아앗
휘리릭…
촤아
악

휘리리 리릭…
마미 선배!
괜찮아. 정신을 잃었을 뿐이야.
후우…
치직…
역시… 마녀의 키스야.
키스?

마녀가 사람을 홀린 증거야.
마녀는 이 폐건물에 있어. 쫓아가자!
네!
탁
탁
탁
저벅…

스릉…
이러면 되겠지.
일시적인 정도지만 몸을 지켜줄 거야.
오오—!
포옹
사역마 무리를 돌파하면 마녀가 있는 곳에 도달할 수 있어.

그럼 가자!
얘들아!
팔랑
팔랑
팔랑
두웅

빠각
저리 떨어져!
부웅
부웅
퉁
퉁
퉁
나이스
퉁
…어때? 무섭니?
…무섭지만,
그래도…!
하… 하나도 안 무서워요!
이제 곧 결계 최심부야!
힘내!
턱
턱
턱

키이
이
이
이잉…
…찾았다.
츠츠츠…
저게 '마녀'야.
우와… 징그러워….
주춤…
저런 것과 싸우는 건가요…?
괜찮아.
포옹…

!
촤작
지지 않으니까!
휘익
벌떡…
파앗
두
웅
통
통
통
파트트
빠르다! 하나도 안 맞는 데요?!
…….
휙…

팔랑
팔랑
팔랑
팔랑
와르르
마미 선배?!
펑어엉
휘리리리
퀵
촤자작
화아악
꾸욱...
후웃...
파악!

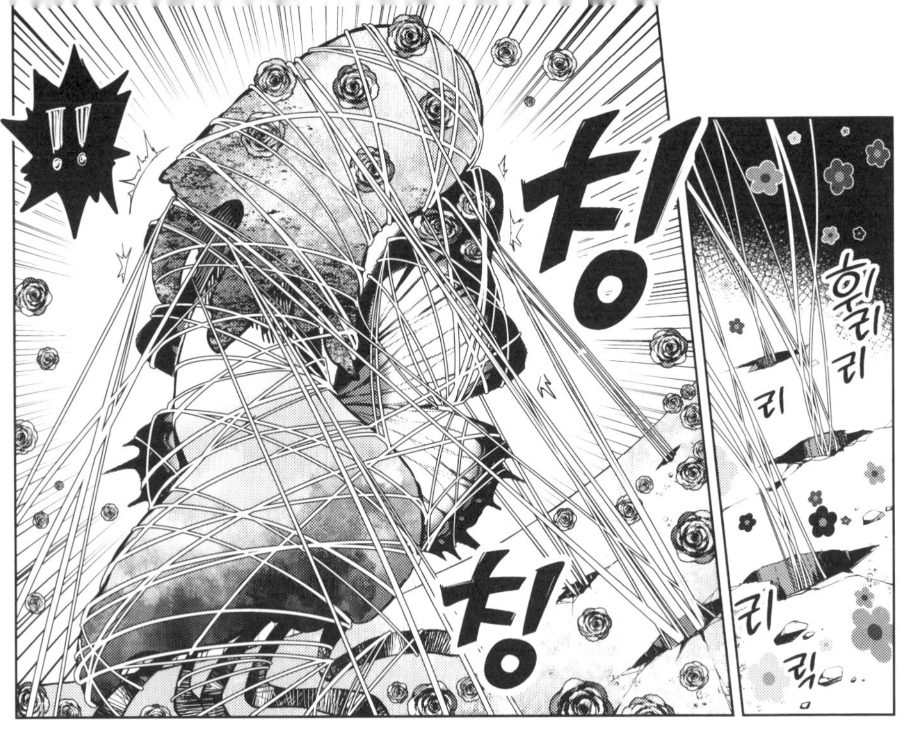
!!
칭
칭
휘리리
리
리
리릭

앗…!
끼긱
끼긱
빗나간 탄환에서 실이 튀어나왔어!
스악
휘이익
이게 내 전법이야!

키리리릭
미래의
후배에게…,
한심한
모습을
보여줄 수는
없지!

키잉…
티로…,
피날레!!
두콰
아아앙
마…
마미 선배가
이겼어!
……!
화아아
아악

이게
그리프 시드.
마녀의
알이야.
아,
알이요?!
괜찮아.
이 상태라면
안전해.
오히려
도움이 되지.
마녀에게서
가끔씩
얻을 수 있어.

마법소녀는
싸우면 마력을
소모해.
소울 젬이
어제 저녁보다
살짝
탁해졌지?
확실히….
그런데
이 그리프
시드를
사용하면…,
톡

탁한 기운이
흡수돼서
내 마력은
원래대로!
이게 바로
마녀퇴치의
보상이야.
호오—
스르륵…

?
한 번 정도는
더 쓸 수 있을 것
같으니
이 그리프 시드는
너에게도
나눠줄게.
휘익
아케미
호무라.
…….
타악
호무라….
전학생
…!
…아니면
남과 나누는 건
마음에
안 드나?
전부
자기 걸로
하고
싶었어?
필요 없어.
타악
!
이건 당신
전리품이야.
당신 혼자
사용하도록 해.

여전히 재수 없는 녀석이야!
좀 더 사이좋게 지내면 좋을 텐데….
…….
서로에게 그럴 마음이 있다면… 말이지.

……?
여기는….
…! 아…!
내가 왜 그런 짓을…!
괜찮아요. 잠깐 나쁜 꿈을 꾸었을 뿐이에요.

한 건
해결됐네….

마미 선배는
참 강하고…
멋진 사람이야.

…응.
역시
마미 선배는
정의의
편이구나.

이루고 싶은
소원 같은 건
나에게는
너무 어려워서
당장은 정할 수
없지만….

이런 나라도
누군가에게
도움이 될 수
있다면,
사각
사각
아마도
활?
완성!
그건 무척
기쁜 일일 거라는
생각이
들었습니다.

PUELLA MAGI
MADOKA
MAGICA

제 3 화
이제 아무것도 두렵지 않아

으아아
…!

오…
티로
피날레!
오오
도오
해냈어!
역시
마미 선배,
멋지다니까!
후우…!
애들도 참!
이건
구경거리가
아니야.
위기감도 좀
가져야지.
네~에,
알고
있어요!
그리프
시드는
떨어뜨리지
않았네.

방금 싸운 건 마녀에게서 분열한 사역마였거든.
그리프 시드는 없어.
요즘 들어 꽝만 나오네.
사역마라 해도 성장하면 마녀가 되니 내버려둘 수는 없지.

두 사람 다 소원을 무엇으로 할지 생각해봤니?
마도카는?
전혀….
…아!
마미 선배는 어떤 소원을 빌었나요?

…몇 년 전,

어?!
아…
말하기
곤란하면
딱히…!
아냐,
괜찮아.
…….
나는….

가족끼리
드라이브를
하던 도중…
대규모 교통사고에
휘말렸어.
그때 큐베와
만났는데….

네 소원은?
나를….
생각할
여유도 없었지….
그게 다야.
나는 그럴 수
없었으니까.
…….
그러니
선택의 여지가
있는 너희는,
잘 생각하고
결정하길
바라.
…저,
저기,
마미 선배!

꼭 자신을 위한
소원을 빌어야
할까요?
뭐?

예를 들어
하는
얘기인데요,
저보다
훨씬 힘들고
곤란한 상황에
처해 있는
사람이
있는데,
그 사람을 위해
소원을 비는 건…
안 될까
궁금해서요….

사야카,
혹시
그건 카미죠를
말하는 거야?
예… 예를
들어 하는
말이라고
했잖아!

응,
가능해.
전례가 없는 것도
아니고.
…하지만
추천하고
싶지는 않네.
?

미키.
너는 그 사람의 꿈을 이루어주고 싶니?
아니면 꿈을 이루어준 은인이 되고 싶니?
!

타인의 소원을 이루어줄 거라면 더더욱,
자신의 소망을 확실하게 결정해야 해.
이건 같아 보여도 완전히 다른 얘기야.

…….
마미 선배….

…그런 식으로 말하는 건 좀 너무해요.

…모질게 얘기해서 미안해.
하지만… 그 부분을 착각한 채로 소원을 빌면,
넌 분명히 후회하게 될 거야.
…응.
그렇구나.
내 생각이 짧았어요.
미안해요!
어려운 결정이니까 너무 조급하게 내릴 필요는 없어.
나야 빠를수록 좋지만.
안 돼!
여자를 재촉하는 남자는 미움받는 법이라구?
아하하 ….

역시,
간단한 문제는 아니구나.
내 입장에서 재촉할 수도 없으니까.
조언하는 것도 규칙 위반이고.

아마도 활?
그저 되고 싶다는 이유만으로는 부족할까?
마미 선배처럼 강하고 멋지고 훌륭한 사람이 된다면,
그것만으로도 충분히 행복할 텐데….

뾰옹
네가 마법소녀가 되면,
마미보다 훨씬 강해질 수 있어.
…뭐어?!
물론 어떤 소원으로 계약을 하느냐에 달렸지만 말이야.
마도카가 만들어낼지도 모르는 소울 젬의 크기는 나도 가늠할 수 없어.
아하하, 큐베도 참…. 농담이지?
아닌데….
이만한 소질을 가진 사람은 네가 처음이야.
잘 자~.
…….

마녀의 기척은 없군.
오늘은 이만….

알고는 있어?
당신은 상관없는 일반인을 위험에 끌어들이고,
그녀들을 마법소녀로 유도하고 있어.

그게 달갑지 않다는 거야?
그 아이들은 큐베의 선택을 받았어.

적당히 해.

특히 카나메 마도카.
…흐음?

너도
눈치챘을
텐데?
카나메
마도카의
'소질'을.
자기보다
강한 상대는
방해꾼이라는
뜻인가?
…그녀의
계약만큼은
막아야 해.
왕따나
할 법한
발상이네.
…당신과는
싸우고
싶지 않아.
그럼
두 번 다시
만날 일 없도록
노력해.

대화만으로
끝나는 건
분명 오늘 밤이
마지막일 테니까.
…….

어라? 일찍 왔네. 카미죠 못 만났어?
몸이 안 좋대.
애써 만나러 와줬는데 무례한 녀석 이라니까~.
기다렸지?
그럼 돌아갈까?
응.
…저기, 사야카.
응?
저게 뭘까…?

두근…
!
왜 그래?
건너편 벽에서 뭔가 빛나는데 ….
탁 탁
저건…!
그리프 시드야!
두근…
부화하려 하고 있어!
!!
두근…
왜 저런 곳에?!
두근…
마력의 침식이 시작되고 있어.
결계가 만들어지기 전에 여길 떠나자!

아…
안 돼!

병원에 마녀가
자리잡으면
최악이야.
안 그래도
허약한
사람들이,
생명
에너지를
흡수당해서
끔찍한
참상이
벌어지지.
병원….
마녀가 병원에
자리잡으면
위험하다고…
마미 선배가!

난 여기서
이 녀석을
감시할게!
마도카는
마미 선배를
불러와!
뭐…?!
위험해.
부화하기에는
아직
이르지만,
결계에
갇히면
너는
빠져나올 수
없어!

하지만
이대로 두면
도망쳐
버린다고!
게다가
여기에는
….

쿄스케가
…!

…알았어.
끄덕
나도
같이
남을게.
폴짝
결계에
갇히더라도
마미라면
텔레파시로
내 위치를
알 수 있고,
나도 마미가
최단 거리로
결계를
돌파할 수
있도록
유도할 수
있으니까.
!
큐베….

그럼 난
바로
마미 선배를
데려올게!
응!
탓
부탁해!
스
슥
…

부웅…
수술중

수술중
Chocolate Sauce
orange Juice
HONEY MILK
무서워, 사야카?

그야 당연하지….
두근…
소원만 정해 주면,
이 자리에서 널 마법소녀로 만들어줄 수도 있는데?

음…, 위험해지면 부탁할지도 모르겠네.
하지만 지금은 사양할게.
내게 있어서도 중요한 일이니까,
어중간한 마음으로 결정하고 싶지 않아.

슥…

마미 선배,
이쪽이에요!
응!

부우웅

…큐베,
상황은?
괜찮아.
금방 부화할
낌새는
안 보여.

서두를
필요 없으니까
되도록
조용히 와줄래?
섣불리
큰 마력을 써서
알이 자극받으면
오히려
더 위험해.
OK,
알았어.

정말 이지. 너무 무모 하다고… 말해주고 싶지만,
이번만큼은 현명한 판단 이었어.
이러면 마녀를 놓칠 걱정은….
!

어? ……앗!
말했을 텐데. 두 번 다시 만나고 싶지 않다고.

이번 사냥감은 내가 사냥할 테니 너희는 물러나 있어.

그럴 수는 없어. 미키와 큐베를 찾으러 가야 하거든.

두 사람의 안전은 보증할게.

포옹..
널 믿으라는 거야?

?!
휘리릭
철커억
다치게
할 생각은
없지만,
너무
버둥거리면
보증할 수
없어.
꽈악
멍청하긴…!
이런 짓을
할 때가…!
꽈악
이번
마녀는…
지금껏
상대한
것들과는
달라!!
기다려!
…네.
가자,
카나메.

끼끼~

…저기,
마미 선배.

왜?
저 나름대로 소원에 대해 여러가지 생각해 봤는데요….

생각이 짧다고 마미 선배에게 혼날 것 같아요….
어떤 소원을 이루고 싶은데?
…저는 옛날부터 줄곧,
자신 있는 과목이나 자랑할 수 있는 재능이 하나도 없어서,
앞으로도 계속 누구에게도 도움을 주지 못하고 폐를 끼치는 게 아닐까 하고 생각했어요….
이런 자신이 너무 싫었어요.

하지만
마미 선배와
만나고,
선배가 누군가를
돕기 위해
싸우는 모습을
보고…,
나도
그렇게
할 수 있을지
모른다는 걸
알았을 때,
그게
무엇보다
기뻤어요….

그래서 저는
마법소녀가
될 수 있다면
그것만으로도
소원이
이루어지는
거예요.
이런 저라도
누군가에게
도움을 줄 수
있다고…,
가슴을 펴고
당당하게
살아갈 수
있다면…,
저에겐
그게 가장 큰
꿈이에요…!
하지만…
그래도 노력하는
마미 선배를
존경해요.

…힘들
텐데?
다칠 때도
있고.
놀거나
연애를
할 틈도
없을 거야.

난 존경할 만한 사람이 아니야….
억지로 멋있는 척하고 있지만,
무서워도… 괴로워도 얘기 할 사람 하나 없고,
혼자서 늘 울기만 해.
마법소녀 같은 건 좋은 게….
꽈악
마미 선배는 이제 혼자가 아니잖아요.
그래….
그렇구나.
…정말로,

앞으로…
나와 함께
싸워줄 거니?
곁에
있어줄
거야?
꼬옥…
네.
저라도
괜찮다면.
…….
정말이지
….
선배로서
모범을 보여야
하는데….

역시 난
못났다니까.

에헤헤…

…그래도
모처럼이니까
소원을
생각해두자.
네에.
모처럼이니…
으~음….

그럼 이렇게 하자.
이 마녀를 쓰러뜨릴 때까지 정하지 못하면,
큐베에게 호화로운 케이크를 부탁하는 거야.
마법소녀 콤비 결성 기념 파티를 여는 거지!
저… 저는 케이크로 마법소녀가 되는 건가요?
싫다면 제대로 생각해 두렴!
으아아…
마미!
그리프 시드가 움직이기 시작했어!
으아아….
곧 부화할 거야…! 서둘러!
키이이
이잉
…그래.
알았어.
오늘은 중요한 날이니까….
파
슥
아아아아아

휘리릭.
파앙!
빠르게 정리해 두겠어!
무리 하지 마세요…!
탕
앙
키키~~~
!!
두
두
두
두
처억
카
가
각
휘이잉….

키이~~익

통
이렇게
행복한
기분으로
싸우는 건
처음이야.
몸이
가벼워….
통
통
통

꼬옥
이제 아무것도 두렵지 않아.
와아아...
나는… 혼자가 아니니까!
기다렸지?
늦지 않았어…!
조심해!
마녀가 나오고 있어!
타앗
번쩍

덜컹...
뽀오옹
파사아앙
!
두두두두
치
이잉!
나오자마자 미안 하지만...,
단숨에 결판을 내주겠어!
스륵
휘리리리릭...
?

철커엉
티로 피날레!!
쿠콰
앙
됐다…!

콰오
퍼억
우읍
오ㅁㅁㅁ
—어?
콰지잉!

휴우
!
두둑
빠직

포옹

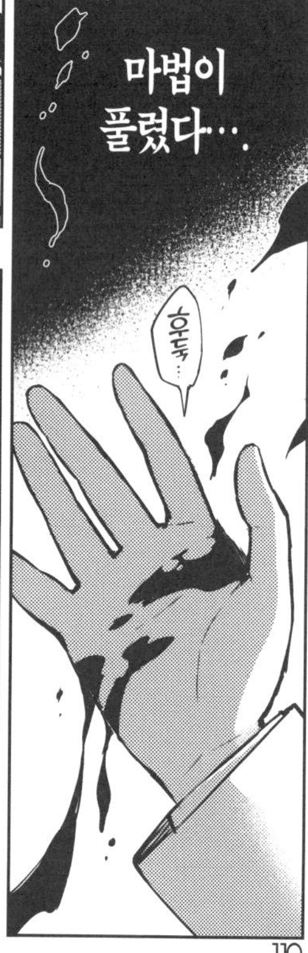
마법이
풀렸다….
후두둑…

탓
탓
설마…!

휘이이이이잉!
터업
할짝
…마도카.
사야카.
우걱 우걱
소원을 정해야 해.
희번뜩…
지금 당장 계약을! 서둘러!!
…!

츄르릅
♪
이 녀석을
처리하는 건,
나야.
그럴 필요는
없어.

?!!
쿠
와
아앗
?
타악
덥
석...
퍼
엉

꾸우~웅
타약
덥석
콰앙
?!
펴엉
펴엉
펴엉
펴엉...
키야아아아아아앙

킹!
마법소녀가 된다는 건,
이런 거야.
키잉
키잉
부
웅
눈에 새겨 넣도록 해.
슥
…돌려줘.

돌려줘!
덥석
그건 마미 선배 거야!
파앗
…큭!

그래.
이건 마법소녀를 위한 것.
너희는 손댈 자격이 없어.

…우리는
아무것도
모르고
있었어.
기적을
바란다는
것의
의미도.
…으….
…크윽…!

그 대가도—.

PUELLA MAGI
MADOKA
MAGICA

제 4 화
기적도, 마법도 있어

주륵…
?
누나, 왜 구래?
마… 맛이 없니?
…아니.
아니야, 맛있어.

살아 있으니까 아빠가 해준 밥이,
이렇게 맛있는데….

—뭔가
다른 나라에
온 것 같아.

학교도…
사람들도
전혀 달라진 게
없을 텐데,
모르는
사람들 속에
있는 것 같아.

아무도
몰라.

마녀에 대해,
마미 선배에
대해….

우리는 알고
다른 사람들은
아무도 모르지.
그건 이미
다른 세상에서
다른 것을 보며
사는 것과는 달라.
훨씬 전에
달라져버렸어.

사야카…?

마도카는
지금도 마법소녀가
되고 싶어?

…….
…그렇겠지.
당연해.
이 마을은…
어떻게 될까?
마미 선배
대신 누군가가
마녀에게서
사람들을
지켜주겠지….

오랫동안
이곳은
마미의
영역이었어.
하지만
빈자리가
되었으니
다른 마법소녀가
금방이라도
마녀를 사냥하러
올 거야.
그리프
시드를
노리고.
그 전학생
같은
녀석이….

…난
마미 선배와
마법소녀가
되겠다고
약속했어.
뭐…?
꽈악
이제 와서
이기적인…
비겁한
소리라는 건
알아.
하지만
….

역시 못하겠어…. 그렇게 죽다니….
싫어….
무서워….
그래…, 알았어. 나도 억지로 강요할 수는 없으니까.
나와 계약을 원하는 아이를 찾으러 가볼게.
여기서 이별이구나, 마도카.
짧은 시간이지만 즐거웠어.
고마워.
탓
탓
탓

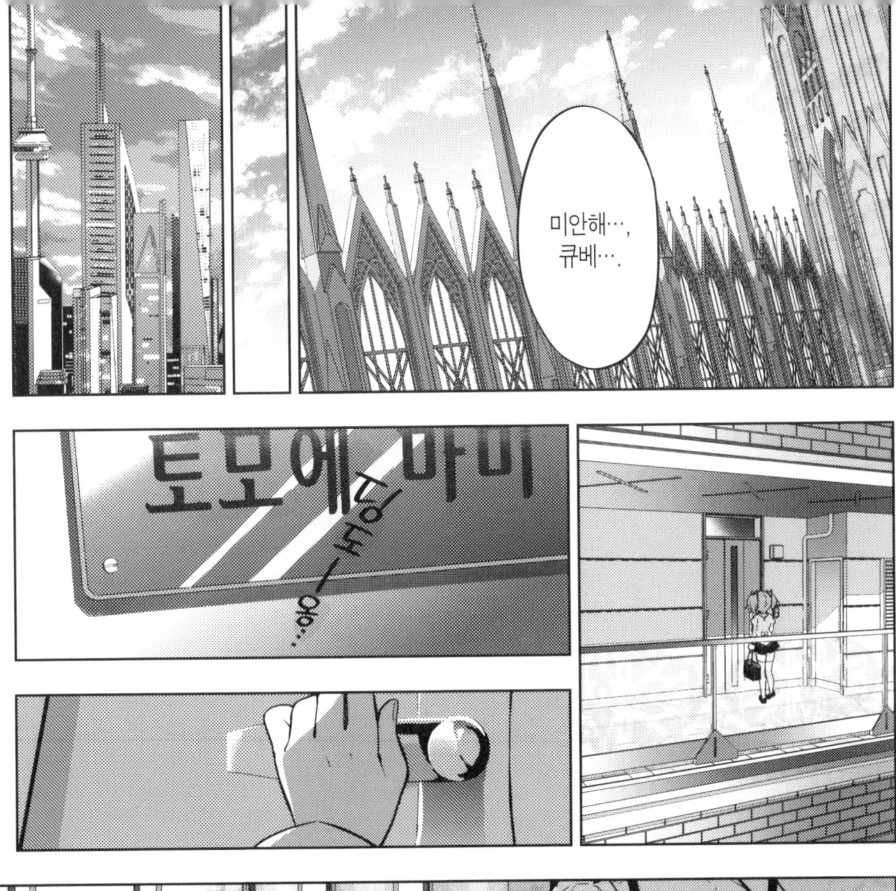
미안해…,
큐베….
토모에 마미
딩도—옹…

슥…

아마도
활?

…마미 선배.
타악…

Campus

죄송해요.
제가 겁쟁이라,
죄송해요….

위…
잉

너는 스스로를 과도하게 책망하고 있어, 카나메 마도카.
터벅

호무라…?

널 비난할 수 있는 사람은 어디에도 없지.
있어도 내가 용서하지 않아.

내 충고를,
들어준 모양이네.
…….

내가…
좀 더 일찍
호무라의 말을
들었더라면,
마미
선배는….
그런 걸로
토모에 마미의
운명이
달라지지는
않아.

하지만
네 운명은
바꿀 수 있지.
한 사람을
구한 것만으로도
나는 기뻐.
…….

…저기,
호무라는
말이야,
어제처럼…
사람이 죽는
광경을,
몇 번이나
봤었어?

세는 것도… 포기할 정도로.
그래, 맞아.

마미 선배가 죽었다는 사실은 아무도 몰라?
토모에 마미에게는 먼 친척밖에 없어.
실종 신고가 나오는 데에도 꽤 시간이 걸리겠지.
거기서 죽으면 시체조차 남지 않아.
그녀는 영원히 행방불명 상태….

…너무해.

마법소녀의
최후란
그런 거야.

마미 선배는…
모두를 위해
계속 혼자서
싸워왔는데,
그걸
알아주는
사람이
아무도
없다니.
너무
하잖아….

그런 계약으로
우리는 이 힘을
손에 넣었어.
누구를
위해서가 아닌,
나 자신의
소원을 위해 계속
싸우고 있지.

알아주는
사람이 없어도,
모두에게
잊힌다 해도…
그건 어쩔 수
없는 일이야.

난,
마미 선배를
절대 잊지 않아.
그렇게
말해주는 사람이
있는 것만으로도
토모에 마미는
행복할 거야.
부러울
정도네.

어제
구해준
일…,
절대
잊지 않을
거니까!
호무라도
잊지
않을 거야!

…….
넌 너무 다정해.
꽈악…
잊지 마. 그 다정함이,
더욱 큰 슬픔을 만들 수도 있으니까.
탁
탁
탁
……?

위이이잉…
…뭐 듣고 있어?

갈색머리 소녀.
…아아, 드뷔시? 멋진 곡이지….

내…,

내가 이 모양이라 다들 클래식 같은 걸 들을 리 없다고 생각하는 건지,
어쩌다 명곡의 이름을 맞추거나 하면 깜짝 놀란다니까.
정말 의외라면서 존경의 시선을 받는 경우도,
있고….

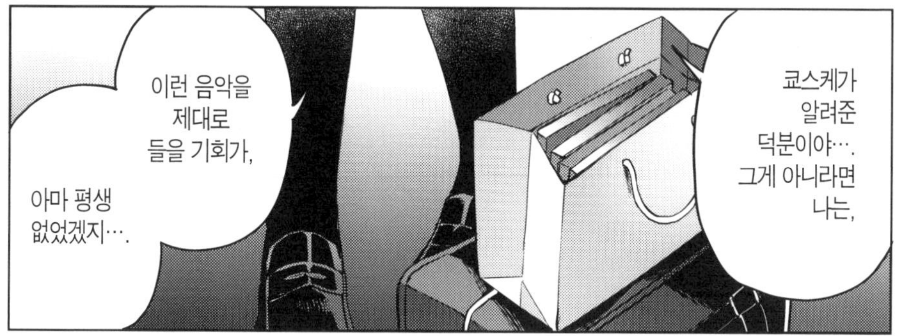
쿄스케가 알려준 덕분이야…. 그게 아니라면 나는,
이런 음악을 제대로 들을 기회가,
아마 평생 없었겠지….

사야카는….
?

사야카는 날 괴롭히는 거야?

뭐…?
왜 지금도 계속 음악 같은 걸 들려주는 거야?
괴로워하는 모습을 보려고?
그건… 쿄스케가 음악을 좋아하니까….
…큭!
이젠… 듣기도 싫어!
직접 칠 수도 없는 곡 같은 건!!
콰
직
……!
후둑

괜찮아! 분명 나을 거야!
포기하지 않으면 분명 언젠가…!
이딴 팔은…!
그… 그만해!!
포기하라는 말을 들었어.
현대의 의학으로는 방법이 없다고.
바이올린은 포기하라고.
고통조차 못 느껴….
이젠… 움직이지 않는다고….
기적이나 마법이라도 일어나지 않는 한…!

…있어.
빠
아
기적도,
마법도.
아
있다고.

호무라….
제대로 얘기를 나누면 친구가 될 수 있을 것 같은데,
왜 마미 선배와 싸웠던 걸까…?

어라?
히토미…?

히토미, 뭐 하고 있어?
오늘 교양 수업은….
…….

저 표식은 설마….
부웅…
…어머.
카나메, 안녕하세요.
히토미, 어떻게 된 거야?
어디 가려던 거야?!
어디냐니…, 여기보다 훨씬 좋은 곳이랍니다.
잘됐어요, 카나메도 저와 함께…!

그득…
그득…

저벅
저벅
저벅

이 사람들도 …?!

호무라에게 알려야 해….
아아, 근데 전화번호도 모르는구나….

어떡하지…!

득르르르

난 틀렸어…. 이런 작은 공장 하나,
제대로 운영하지 못하고….

지금 시대에 내가 있을 곳은,
아무 데도 없겠지….

탁악

저건…,
세제?

알겠니,
마도카?
이런
염소계
표백제는,
다른
세제와 섞으면
무척
위험하단다.
맹독 가스가
나와서
우리 가족 모두가
저 세상으로
가게 돼.
절대
잊어버리면
안 돼.
섞지 마시오 위험
염소계
……!!
안 돼!
그러면
안 돼요!!
다들
죽을
거야!!
덥
석
방해하지
말아요!

?!
저건 신성한 의식이에요.
저희는 지금부터 멋진 세계로 여행을 떠날 거랍니다.
그게 얼마나 멋진 일인지,
카나메도 금방 알게 될 거예요!
짝짝
짝짝
짝짝
짝짝
짝짝
!
이거 놔!!
탓
파앗

쨍그랑
야옹

째릿……
우선은 이걸로 안심….

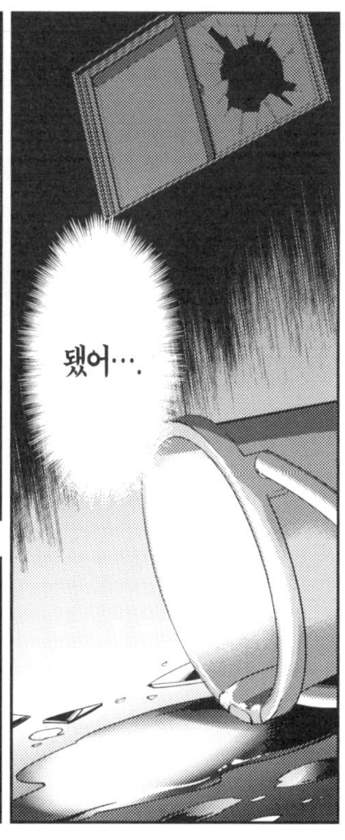
됐어….

히익…
…이 아니야!

아
아
아
아
도망쳐야 해!!
헉
!
철컥
어…,
여기는… 창고?
타아앙
쿠웅
쿠웅
탈칵
쿠웅
쿠웅
부우웅…
어떡하지…, 어떡하면 좋지…?

?!
아하하하…
아하하하…
치
지
지
직…
싫어…, 도와줘!
누가!!
파
우우욱
촤아아아악

부우웅
휘이이
이잉

스
스윽…
정말…
같이 싸워줄
거야?

곁에 있어줄 거야…?
내가 겁쟁이에다 거짓말쟁이라,
이건… 천벌일까?
분명 천벌을,
받는 거야….
콰 우 욱
키 잉!

파
키잉!
부우웅
이걸로…,
서걱

차악
끝이다!!
아아아
후둑
아아아
후둑

키이잉!
미안, 미안.
아슬아슬 했네!
…….
사야카….
처음 치고는 잘했지?
나.

너는….

늦었잖아,
전학생.

움찔
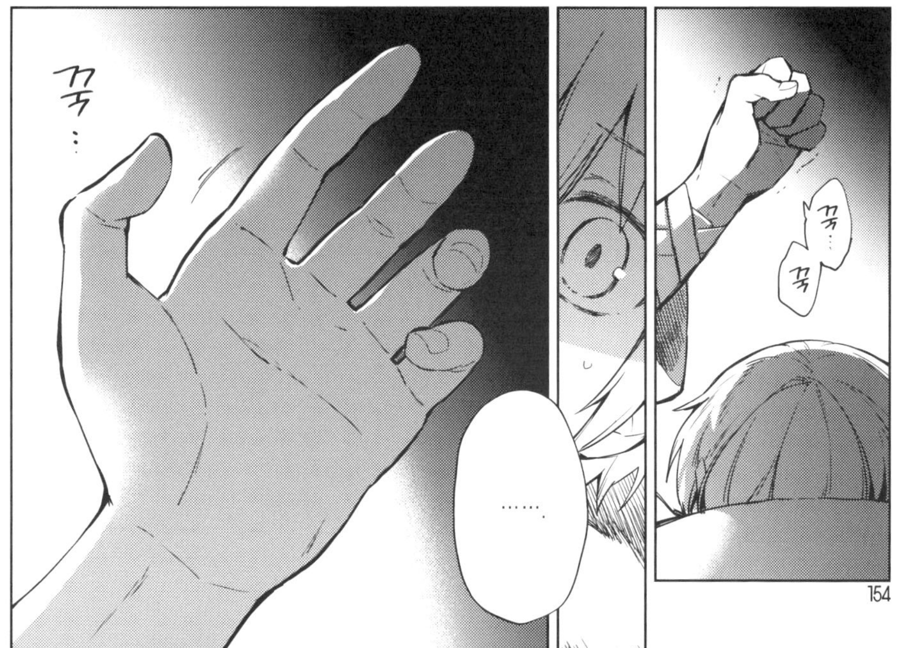
꾹…
꾹
…….
꾹…

설마,
네가
올 줄이야.
하

마미 녀석이
죽어버렸다고
들어서
기껏 여기까지
찾아왔는데.
압
우물
우물
이야기가 좀
다르지 않아?
미안해.
이곳에는
이미 새로운
마법소녀가
있어.
방금 전에
막 계약했지만.
뭐야, 그게?
짜증나네.

아
뭐, 상관없어. 이렇게 좋은 구역을,
햇병아리 신참에게 뺏길 수는 없지.
어떻게 하려고, 쿄코?
그야 뻔하지.
짓밟으면 되는 거 아냐?
그 녀석을.

PUELLA MAGI
MADOKA
MAGICA

정말,
어떤
소원이라도
이루어주는
거지…?
제 5 화
후회 같은 걸 할 리 없어
걱정 마.
네 소원은
틀림없이 이루어
질 거야.
그럼
준비 됐지?
스으…
응….
부탁해.

화아아
…자, 받아들이도록 해.
아아아
그게 너의 운명이야.

딩-동-댕-동-
띠-잉 도-옹
데-엥 도-옹...
덜컹
...흐엥?
흐암~
끝났다~!
흐암... ...죄송해요
어머...? 미키도 수면부족 인가요?

어라? 히토미, 왜 그래?
어젯밤엔 병원이다 경찰이다 참 난리였어요.
으~음...
몽유병 이라고 해야 할까....
어제 정신을 차려보니 여러 사람들과 같이 쓰러져 있었거든요....
뭐어~? 그게 정말이야? 이젠 괜찮아?
......

으~
음….
오랜만에
기분 좋네.
아주
상쾌해—!

사야카는
말이야,
마법소녀가
된 게…
무섭지 않아?
응?
자칫하면
마도카와 히토미…
친구를 두 명이나
잃어버릴
뻔했잖아?
그게
훨씬 더
무서워.
…그야
조금은
무섭지만.
그—러—
니—까!

어떻게 표현해야 하나? 자신감? 안도감?
막 공중에 날아오를 것 같아~ 나!
앞으로도 미타키하라시의 평화는 이 마법소녀 사야카 님이,
팍팍 지켜주겠다 이 말씀이야~!
…딱 하나 후회하는 게 있다면,
이렇게 될 거 조금만 더 빨리 결심할 걸 그랬다는 정도일까…?
그때 그 마녀를 나랑 둘이서 상대했다면,
마미 선배는 죽지 않았을지도 몰라….
나…,
나도….

뭐,
이런 건
지나간 뒤에나
할 수 있는
소리지!
!
나에게는
목숨을 걸고서라도
이루고 싶은 소원이
있었거든.
이유가 있어서
마법소녀가
된 거야.
그러니까
마도카가
죄책감 느낄
필요는 없어.
마도카는
마법소녀가
되지 않아도 돼….
그게 다야.
좋아!
그럼
난 가볼게.
?
무슨
약속이라도
있어?
응,
잠깐 좀!

─그래.
아직 퇴원은 안 되는 구나⋯.
응.
아직 다리 재활 치료는 끝나지 않았거든.
사야카의 말대로 정말 기적이야.
꾹
꾹
이건⋯.
⋯저번에는 사야카에게 심한 말을 해버렸지.

……
슥…

미안해….
사과할 필요 없어!
이젠 괜찮아졌으니까 그런 표정 지으면 안 돼!

슬슬 시간이 됐나?
?

쿄스케.
바깥 공기 좀 쐬러 가자.

위잉……
사야카,
옥상에는
무슨 일이야?
가보면
알아!
위잉…

짝 짝
짝 짝
짝 짝
짝
짝
짝
짝

다들….
진짜 축하는
퇴원한 뒤에
하겠지만.

!
저벅…

그건….
너는
처분하라고
했지만,
도저히
버릴 수가
없었단다….

끄덕

두려워할
필요 없어….
시험해보거라.

팍팍
팍팍
팍팍…
…후회 같은 걸 할 리 없어.
내 소원이 이루어졌어요.
마미 선배….

흐ㅡ음.
저게
이 마을의
새 마법소녀로군.
정말로
사야카와
싸울려고?
그야
쉬워 보이니까.
저런 녀석은
순식간에
처리할 수 있어.
모든 일이
네 생각대로
된다는
보장은 없어.
이 마을에는
다른 마법소녀가
또 한 사람
더 있으니까.
타박
타박
그래?
누군데,
그 녀석은?
스르륵…

나도 잘 모르겠어.
뭐어?!
모르겠다니…, 그 녀석도 너와 계약한 거 아냐?
그렇다고 할 수도, 아니라고 할 수도 있지.
뭐야, 그게….

그 아이는 엄청난 이레귤러야.
어떤 행동을 보일지 나도 예상할 수가 없어.
…흥, 잘됐네.
너무 지루한 것도 재미없으니까. 조금은 재미를 볼 게 있어야지.

……….
바삭…
그래서.

할 얘기란 게
뭐야?

그… 그게!
사야카하고,
친하게
지내주면
좋겠어!

조용….
……!
…….

…미키 사야카가
걱정이구나?

…응.
사야카
본인은
괜찮다고
하지만,
마미 선배가
당한 걸
생각하면…
무서워서….
난 더 이상
힘이
되어줄 수도
없고.
사야카는 말이야,
곧잘 남과
다투기는 하지만,
실은 무척
착한 아이야.
그래서
호무라에게
부탁하고 싶어.
다정하고,
용감하고,
남을 위해
늘 필사적으로
노력해….

마법소녀로서는
치명적이네.
?

도를 넘은
상냥함은
허술함으로
이어지고,
용맹은
방심을 낳지.
그리고
그 어떤 헌신도
보답 받지
못해….

그래서
토모에 마미도
목숨을 잃었고.
퐁
다양…

그런 식으로
말하는 건…!
타악
미키 사야카는
계약을 해서는
안 됐어.
그녀도 감시에
넣지 않은 건
내 실수였지.

난 거짓말은
하고 싶지
않고,
지키지
못할 약속도
하기 싫어.

미안하지만
그녀에 대해서는
포기해.

이유가…
뭐야…?

…좋아!
가자,
큐베.
긴장하고
있어?
짜
아악
그야 당연하지.
조금만 실수하면
바로 저승길인데.
불끈
위이…잉
!

마도카?
사야카,
지금부터….
그래!
지금부터
마녀찾기
순찰이야!
마도카는
무슨 일로
왔어?
그…
그게.
방해만
될 뿐이라는 건
알지만,
방해되지
않는
곳까지라도
좋으니,
같이 갈 수
없을까
싶어서….
…….

미, 미안해. 역시 안 되겠지?!
무모한 부탁을 해서….
아냐.
꼬옥…
정말 기뻐.

어…? 앗!
에헤헤… 느껴져?
아까부터 손이 계속 떨리더라.
이제 난 마법소녀인데 참 한심하지…?
반드시 지켜줄게. 그러니까 같이 가자.
마도카가 와준다면 정말 든든할 거야.

위험하다는 건
알고 있지?
응.
마도카가
있다는 사실을
명심하면,
나도
무모한 식으로
싸우지는
않겠지.
…그래,
나름 생각이 있어서
한 행동이구나.
너에게도
네 나름의 생각이
있겠지?
키이
마도카.
이이이
잉
!

네가 사야카 곁에 있어준다면,
난 최악의 사태에 대비한 비장의 패를,
한 장 더 가질 수 있게 되지.
만약 네가 각오를 굳히는 때가 온다면—,
언제든지 준비는 되어 있으니까.

응….

이 결계는
마녀가 아닌
사역마 거야.
그렇다고
쉽게 볼 순 없지.
이쪽은
신참이니까.
앗!

저기봐!
사역마가!
뾰옹
뾰옹
뾰옹
Vrooooom
달아
난다!
꽉
나한테
맡겨!

파
아
철컥
어
딸깍
콰앙
Vroooom
빼애
애액
Booooo!!

부
웅
Vroom?!!
야 아앗!
파앗
?!
두
두
두
휘리리릭
까야앙
!
튕겨 냈어?!
잠깐, 잠깐—.
뭐 하는 짓이야, 너네?

보고도 모르겠어? 저건 사역마야.
그리프 시드를 가지고 있는 것도 아니잖아.
마법 소녀?
아…, 놓치겠어!
뒤쫓아야…!
!!
그러니까 관두라고.

뭐 하는
짓이야?!
저 녀석을
내버려두면
누군가가
살해당할….
그야
당연하지.

몇 사람
잡아먹고
마녀가 되면,
그리프
시드를
가지고 있게
될 거야.

아삭
알을 낳기도 전에
닭을 죽여서
어쩌자는 건데?

너…,
마녀에게
습격당하는
사람들을
그냥 보고만
있겠다는
거야?!

할짝…
…너 말이야,
뭔가 근본적으로
착각하는 것
같은데.

약한 인간을
마녀가 먹고,
그 마녀를
우리가
먹는다.
이게 당연한
룰 아냐?
먹이사슬 몰라?
학교에서
안 배웠어?

설마 싶지만…
남을 돕기
위해서라거나
정의 같은
웃기지도 않는
농담을 위해,
계약을 한 건
아니겠지?
—그렇
다면….

어쩔
건데?!
째애앵
…부탁인데
그만 좀
해줄래?
끽

끼
열받는단
말이지!
기
긱
반쯤
노는 기분으로
끼어드는
모습을 보면──…
콰악
사야카
?!

휙…
머리나 식히고 있어, 초짜 녀석.
촤아아…
…어라?
이상하네.
전치 3개월… 정도 부상은 입혔을 텐데.

사야카, 괜찮아…?
그녀의 계약은 치유의 소원에 의해 계약한 거라서
회복력은 남들보다 뛰어나.
턱…
후웅…
…누가 너 같은 녀석에게…!

너 같은 녀석이 있으니까 마미 선배는…!
짜증 난다고!
탁…
짜증나….
화라락
!
애초에 듣는 자세가 안 됐어!
타앗
선배를 상대로!

닥쳐!!
파
챙
?!
휘
리릭
화악
부웅
부웅
큭
퍽...
컥...
챙
앵
말을 해도 알아듣지 못하고….

때려도
이해하지
못하는
멍청이라면,
캉
캉
캉
이제
죽이는
수밖에
없겠지!!
앙앙
챙
가
아
앙 아
질 수
없어!
챙
콰
억
지지
않아…!
…체

채앵
채앵
…어째서…, 마녀도 아닌데,
같은 편끼리 싸워야 하는 거지?!
키잉!
응?
말려봐, 큐베!
…서로 양보할 생각이 없으니,
카가각
나로서는 방법이 없어.
다만—.

어떻게 해서든…
힘을 써서라도
말리고 싶다면
같은
마법소녀가
되지 않는 한
무리야.
그리고
너라면
그럴 자격이
있지.

네가
정말로 그걸
바란다면.
키이이이잉
크…
털썩
철컥
철컥
빠가
악
이걸로
…!

끝이야
!!
난…!
그럴
필요는 없어.

쿠
?!
화악
오오오

PUELLA MAGI
MADOKA
MAGICA

어…?!
제 6 화
이런 건 정말 이상해

아니… 빗나갔어?
이 자식, 무슨 짓을 한 거야?!
타악…
!

……,
척…
이상한
기술을
쓰는군….
네가
그 소문의
이레귤러인가?

큭…!
너…!
비틀…
파앗
방해하지
마!!

앗

털썩
사야카?!
걱정 마.
기절했을 뿐이야.

거기… 너.
대체 누구 편이지?

나는 냉정한 사람의 편이자,
무의미한 싸움을 하는 어리석은 자의 적이야.

너는
어느 쪽이지?
사쿠라
쿄코.
!
너,
어디서
만났던가…?
글쎄?
……
수중의 패가
보이지
않으니…,
오늘은 이만
물러나겠어.
현명한
판단이야.

탁
탁
탁

호무라.
도와준…
거야?
말했을 텐데,
카나메 마도카.

너는
끼어들어서는
안 된다고…!
질리도록
말하지
않았어?
대체
몇 번이나
충고해야
알아듣는
거지?!
넌 대체
얼마나
멍청한
거야?!

어리석은
자를
상대할 때…,
……윽
난 수단과
방법을
가리지 않아.

뚜벅
뚜벅
아케미
호무라….
너는…
설마….
…….

슈우우우욱…

이걸로
한동안은
괜찮아.
질척…
우왓,
새카매….

이 이상
부정(不淨)을
흡수하면
위험해.
마녀가
부화할지도
몰라.
뭐어?!

괜찮아,
이리줘.
데굴…

휘
익

다음에 또 정화하려면 새로운 그리프 시드를 얻어야 해.
……
꺼억
타아악
이것도 내 역할 중 하나야.
우와…
머… 먹은 거야?

최대한의 힘을 발휘하려면 이 부정을 제거해,
최고의 상태를 유지할 필요가 있지.
마력을 사용하면 사용할수록 소울 젬은 오염 돼.
이걸 깨끗하게 유지하는 게,
그렇게 중요한 일이야?

그게 바로
사쿠라
쿄코가
강한 이유야.
그녀는
늘 최고의
상태로
싸우고
있거든.
그렇다고
그리프 시드를
위해
남을 희생
시키다니….
물론 본래 지닌
재능과
베테랑이라는
이유도 있긴 해.

그래서
마미 같은 경우는
그리프 시드가
충분하지 않아도
강했던 거야.
치사해!
불공평
하잖아!
개중에는
경험이
전혀 없어도
소질만으로,
쿄코
이상의 힘을
발휘하는
천재도 있지.
그게
누군데?

카나메
마도카야.
…그게
정말이야?
그래.
쿄코에게
대항할 전력을
원한다면,
차라리
마도카에게
도움을
부탁하는 것도
하나의
방법이야.
그녀가
계약
한다면….
…안 돼.
포옹…
그 애를
말려들게
할 순 없어.
이건
내 싸움
이니까.

두웅♫
탕 탕 탓
두웅♪
타닥
탓

★부탁의 말씀★
플레이 중 취식은
삼가해주세요.
협력을 부탁드립니다.

두웅
♫
탓
두웅
타닥
탓
두웅

여어.
이번엔 무슨 일이지?

이 마을을 너에게 맡기고 싶어.

…무슨 바람이 들어서 이러실까?
마법소녀는 너 같은 사람이 어울려.
미키 사야카에게는 무리야.
그리고 한 가지 더.
너는 앞으로 그 애를 건드리지 마. 내가 처리할게.

GREAT!
GREAT!
어차피 이 마을을 차지할 생각이긴 했지만,
탁
탁
탁
넌 대체 정체가 뭐지? 목적이 뭐냐고.

탁
2주 뒤… 이 마을에 '발푸르기스의 밤'이 와.

…그걸 어떻게 알아?
비밀.
NEW RECORD
발푸르기스의 밤이라….
확실히 혼자라면 버겁겠지만 둘이 덤비면 이길 수 있을지도 모르지.
그 녀석만 물리치면 나는 이 마을을 떠나겠어.
그 뒤에는 마음대로 해도 좋아.
스윽
먹을래?

—틀렸어.
시간이 너무 지났네.

어제의 사역마에 대한 단서는 남아 있지 않아.
그래….
저기, 사야카.

어제 만난 아이와 한번 제대로 얘기를 나눠봐야 하지 않을까?
아니면 또 마주쳤을 때 싸움이 일어날 거야.

…너에게는 어제 그게 단순한 싸움으로 보였어?
뭐…?

그건 분명하게 목숨을 건 대결이었어.

그때는 서로 진지하게 상대의 목숨을 빼앗으려 들었지.
그렇다면 더더욱….
바보 같은 소리 마.
그리프 시드를 위해 인간을 먹이로 바치는 녀석과 무슨 수로 손을 잡으라는 거야?

…사야카는 마녀를 물리치기 위해 마법소녀가 됐잖아?
방식은 달라도 마녀를 퇴치하고 싶다는 마음은 같을 거야.
어제 그 아이도… 호무라도.
꽈악…

마미 선배도 호무라와 험악하게 굴지 않았다면…,
분명 그런 식으로 죽지 않았을….
그렇지 않아!

그때 호무라는
마미 선배가
당하는 걸
기다리다가
마녀를 물리쳤어!
그 녀석은
그리프 시드를
차지하려고
마미 선배를
죽게 내버려둔
거라고!
!
아니야…,
그건….

어젯밤 놓친
사역마도
사람을
죽일 거야.
녀석이 다음에
노리는 건
마도카의
가족일지도 몰라.
그래도
넌 괜찮겠어?
방치하자는 사람을
용서할 수 있어?

그 전학생도,
어제 만난
쿄코라는 녀석도
자기
생각만 해….
마미 선배만이
특별했다고.
…….
난 단순히
마녀와 싸우기
위해서가
아니라,
소중한 사람을
지키기 위해
이 힘을 바랐어.
부웅…

그러니 마녀보다도 사악한 인간이 존재한다면,
난 싸울 거야.
설령 그것이 마법소녀라 해도.

싫다면 따라오지 않아도 돼.
봐서 기분 좋은 것도 아닐 테니까.
아….

…….
큐베도 뭐라고 말 좀 해줘….

내가 말해봤자 사야카는 들어주지 않겠지.

친구가…
힘든
상황이야.
수고했어
냉장고에
감자샐러드 넣어두

하는 말도 행동도
아마 잘못되진
않았을 거야.
하지만
정의를 지키려
노력하면
노력할수록,
점점 상황이
악화되기만 해….

자주 있는
일이지.
달그랑

콰악
정의만을
추구한다고
해피엔드를
얻을 수 있는 건
아니야.

오히려
자신의 정의를
믿으며 고집을
부릴수록,
행복은
달아나는
법이야.
참 분하지.

난…
어떻게 하면
좋을까?
그 문제에
관해서만큼은
남이 뭐라고 하든
깔끔하게
해결할 수 없어.
…….
그럼에도
해결하고
싶니?

그럼
엇나가면 돼.

엇나간다고…?
지나치게 올바른 그 아이 몫까지,
누군가 엇나가면 돼.
그래.

못된 거짓말을 하거나 무서운 일에서 달아나는 등….
처음에는 이해해주지 못한다 해도,
훗날 정답이라는 걸 알아줄 때가 올 거야.

도저히 안 되겠다 싶을 정도로 막히면 아예 엇나가는 것도 방법이지.

마도카.
넌 착한 아이로 자랐어.
거짓말도 하지 않고 나쁜 짓도 하지 않지.
늘 올바르게 지내고자 노력해. 어린이로는 이미 합격이지.

그러니 어른이 되기 전에 능숙하게 넘어지는 법을 연습해두렴.
어른이 되면 말이지, 자존심이나 책임감처럼 짊어지는 게 많을수록,
점점 엇나가기도 어려워지는 법이란다.
…….
응….

코스케 녀석.
네?
카미죠 코스케
환자
퇴원했나요?
응….
재활훈련의 경과가
순조로워 예정이
앞당겨졌는데….
연락이
없었니?
퇴원했다면
퇴원했다고
알려줄
것이지….
연습…
시작했구나.
카미죠
!

야.
기껏 여기까지 왔는데,
만나지도 않고 돌아가려고?
너는…!
오늘 하루 계속 찾아다닌 주제에.

무슨
볼일이지?
다 알아.
이 집
도련님이지?
네가
계약한
이유.

단 하나뿐인
기적의 기회를
하찮은 일로
소모하다니.
마법이라는 건
자신만의 소원을
이루기 위한
존재야.
콰직
남을 위해
써버리면
하나도 이득이
될 게 없어.
토모에 마미는
그런 것도
안 가르쳐줬어?
……큭.

반한 남자를 차지하고 싶다면 좀 더 깔끔한 방법이 있지 않아?
모처럼 손에 넣은 마법을 이용해서 말이야.
……?
지금 당장 집에 숨어들어가 도련님의 팔다리를 뭉개버리는 거야.
다시 한번 네 도움 없이는 아무것도 못하는 몸으로 만들어버리는 거지.
그러면 도련님의 몸도 마음도 네 차지….
… 용서할 수 없어.
너만은 절대 용서하지 않아…!
장소를 옮길까?
여기는 남들 시선도 있으니.

붕
우
우
우
웅
여기라면 방해할 사람도 없겠지.
어디 화려하게 날뛰어 볼까!
헉…
기다려, 사야카!
우웅

그러면
안 돼!
분명 잘못
됐다고!!
마도카…!
탓
탓

방해하지 마.
너와는
상관없는
일이니까.
하지만
…!

흥
시끄러운 녀석에겐
시끄러운 동료도
있는 법이지.
그렇다면
네 동료는
어떨까?
켁…
이야기가
다르잖아.
미키 사야카는
건드리지 말라고
했을 텐데.

네 방식은
너무 안이해.
어차피
저쪽에서
먼저 시비를
걸었다고.
내가
상대할 테니
손대지 마.

…흥!
똑
약

그럼 이걸 다
먹을 때까지는
기다려주지.
짤막
충분해.
저벅
저벅

화아악
뭐…?!
깔보지
마…!

키잉!
파아앙
……
탁
탁
탁
사야카, 미안!
?!
에
잇…!
휘익…
파앙

티이잉…
부오오
무슨…!
……
휘익
위험해…!
마도카! 너 뭐 하는 짓이야?!
하지만… 사야카는,
이렇게라도 안 하면….
휘유우

비틀…
털
썩
……어?
사야카?
왜 그래?
…응?
…이런,
이런.
하필이면
친구를 던져
버리다니.
마도카도
참 너무하네.

척
척
…?
큐베…?

콰
악
?!

그,
그러지
마…!
…어이.
이게 어떻게
된 거야?

이
녀석…!
죽었
잖아?!

거…
거짓말…!
사야카?
사야카,
정신차려!
너희
마법소녀가
신체를
제어할 수
있는 건,
기껏해야
100미터 정도가
한계이거든.
몸에서
떼어놓지 말고
잘 지키면
일어날 사고가
아닌데.
100미터
…?
그게 뭐야?
무슨
뜻이냐고?!
안 돼…,
사야카!
일어나!!
절레…
마도카.
그쪽은
사야카가
아니라,
빈 껍데기야.
사야카는
방금 전에 네가
던져버렸잖아.

쿠
오
오
오
오
평범한 인간처럼 망가지기 쉬운 신체를 가지고,
마녀와 싸우라는 부탁은 할 수 없지.
너희 마법소녀에게 있어 원래의 신체라는 건,
외장형 하드웨어에 불과해.
그리고 본체에 해당하는 영혼은 마력을 효율 좋게 운용할 수 있는,
간편하고 안전한 형태를 부여받지.

마법소녀와의 계약을 주선하는 내 역할은,
너희들의 영혼을 꺼내 소울 젬으로 바꾸는 거야.
덥석
이 자식…!
그럼 우린 좀비나 마찬가지라는 소리잖아!!
꽈악…
오히려 편리하지 않아?
심장이 망가지거나 피를 모조리 흘린다 해도,
마력으로 수리하면 다시 움직일 수 있으니까.

소울 젬만
깨지지 않는 한
너희는
무적이야.
약점으로 가득한
인체보다
싸움에 있어서는
훨씬 유리하지
않을까?
…너무해….

너희들은
늘 그래.
사실을 있는
그대로 전하면
꼭 이런 반응을
보이지.
어째서
인간은 그토록
영혼의 위치에
집착하지?
영문을
모르겠어.

저벅
저벅…
톡
!

헉

…뭐야?
무슨 일이야…?

어느 날, 호분샤 출판사에서 "마도카 마기카의 첫 만화판을
마도카 10주년 기념에 맞춰 신장판으로 낼까 한다"는 연락이 왔습니다.
처음에는 배경과 무기에만 수정을 한 신장판으로 낼 예정이었습니다만,

막상 수정에 들어가려고 10년 전의 데이터를 뒤져보며
확인하다가 '앗, 이건 안 되겠어~!' 하고 두 손을 들고 말았습니다.
작화에 대한 터치가 이미… 너무나도 달라져서 부분적으로 배경만 수정하기가
까다로운 상태였던 거죠. 아무래도 10년이나 지났다 보니….

나 "전부 고치게 해주세요!"
담당자 "잘 부탁드립니다!"
이리하여 이 신장완전판이 탄생하게 되었습니다. 끝.

언제 어디서 말했는지 이제는 기억나지 않지만
'마도카 만화판을 1권부터 전부 새로 그리고 싶다'고 말한(쓴?) 기억이 있습니다.
그 바람이 10년의 세월을 거쳐 이렇게 이루어지고 말았네요.
이 신장판의 발행으로 가장 기쁜 사람은 아마 10년 전의 저일 거라 생각합니다.

그렇다고 해도 당시이기에 낼 수 있었던 기세라는 것도 분명 존재할 것이며,
애니메이션과 같은 연출을 만화라는 매체에서 그대로 따라하는 것도 좀 아니다 싶어,
그대로 남길 수 있는 부분은 남기며 다소 어레인지를 가해 집필했습니다.
이 신장판의 간행으로 10년 전의 만화판이 의미를 잃는 일은 절대로 없으니,
첫 만화판과 신장판 둘 다 책장 한구석이나마 차지하게 해주시면 참 기쁘겠습니다.

이 책은 2011년 간행된 만화판 『마법소녀 마도카☆마기카』를 바탕으로
재편 및 가필을 더해 새로이 구성한 작품입니다.

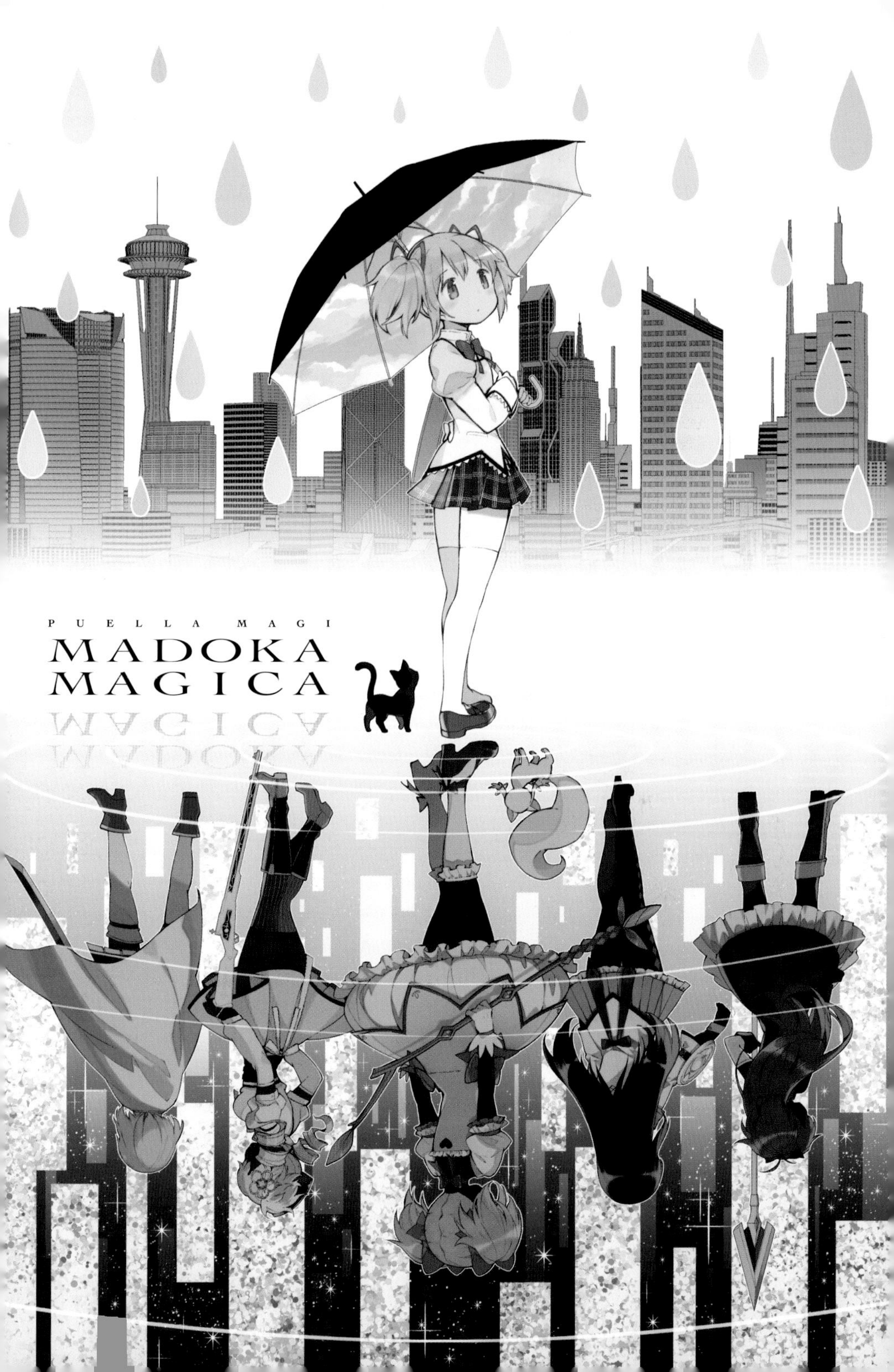
PUELLA MAGI
MADOKA
MAGICA

P U E L L A M A G I
MADOKA MAGICA
마법소녀 마도카☆마기카 신장안전판[상]

© Magica Quartet / Aniplex, Madoka Partners, MBS

그림 하노카게
원작 Magica Quartet

2023년 2월 25일 초판 1쇄 발행
2024년 2월 29일 초판 3쇄 발행

◆역자:신민섭 ◆발행인:정동훈 ◆편집인:여영아 ◆편집책임:최유성
◆편집:김혜정,조은별 ◆디자인:김환겸 ◆발행처:(주)학산문화사
◆등록:1995년 7월 1일 ◆등록번호:제3-632호
◆주소:서울특별시 동작구 상도로 282 학산빌딩
◆편집부:02-828-8988,8837 ◆마케팅:02-828-8986

PUELLA MAGI MADOKA MAGICA COMPLETE EDITION volume 1

Originally published in Japan in 2021 by HOUBUNSHA CO., LTD., Tokyo.
Korean translation rights arranged with HOUBUNSHA CO., LTD., Tokyo,
through TOHAN CORPORATION, Tokyo.

ISBN 979-11-411-0139-8 07650
ISBN 979-11-411-0138-1 (세트)

값 13,000원